# 在打好精准脱贫攻坚战座谈会上的讲话

（2018年2月12日）

习　近　平

人　民　出　版　社

# 在打好精准脱贫攻坚战座谈会上的讲话

（2018年2月12日）

习　近　平

党的十八大以后，我先后在延安、贵阳、银川、太原召开部分省区市党委书记座谈会，根据脱贫攻坚进展情况，分阶段、分专题研究部署脱贫攻坚工作。这次是党的十九大后我主持召开的第一次脱贫攻坚座谈会。

打好精准脱贫攻坚战，是我在党的十九大报告中提出的三大攻坚战之一，对如期全面建成小康社会、实现第一个百年奋斗目标具有十分重要的意义。这次把大家请来，主要目的是听听大家意见和建议，交流脱贫攻坚工作情况，把握工作进展，分析存在问题，明确下一步工作部署和安排，扎扎实实把脱贫攻坚战推向前进。

下面，我讲点意见，讲3个问题。

## 第一个问题：深刻认识我国脱贫攻坚取得的决定性进展。

党的十八大以来，党中央从全面建成小康社会要求出发，把扶贫开发工作纳入"五位一体"总体布局、"四个全面"战略布局，作为实现第一个百年奋斗目标的重点任务，作出一系列重大部署和安排，全面打响脱贫攻坚战。脱贫攻坚力度之大、规模之广、影响之深，前所未有，取得了决定性进展，显著改善了贫困地区和贫困群众生产生活条件，谱写了人类反贫困历史新篇章。

第一，创造了我国减贫史上最好成绩。全国现行标准下的农村贫困人口由2012年底的9899

万人减少到2017年底的3046万人，5年累计减贫6853万人，减贫幅度达到70%左右。贫困发生率由2012年底的10.2%下降到2017年底的3.1%，下降7.1个百分点。年均脱贫人数1370万人，是1994年至2000年“八七扶贫攻坚计划”实施期间年均脱贫人数639万的2.14倍，是2001年至2010年第一个十年扶贫纲要实施期间年均脱贫人数673万的2.04倍，也打破了以往新标准实施后脱贫人数逐年递减的格局。贫困县数量实现了首次减少，2016年有28个贫困县脱贫摘帽，初步评估，2017年考核验收结束后还会有100个贫困县退出，解决区域性整体贫困迈出坚实步伐。

第二，促进了贫困地区加快发展。我们加强产业扶贫，贫困地区特色优势产业和旅游扶贫、光伏扶贫、电商扶贫等新业态快速发展，增强了贫困地区内生发展活力和动力。通过生态扶贫、易地扶贫搬迁、退耕还林等，贫困地区生态环境明显改善，实现了生态保护和扶贫脱贫一个战场、两场战役的双赢。通过基础设施和公共服务建设,贫困地区特别是农村基础条件明显改善,改变了贫困地区整体面貌。通过组织开展贫困识别和贫困退出、扶贫项目实施,贫困地区基层治理能力和管理水平明显提高,增强了农村基层党组织凝聚力和战斗力。通过选派第一书记和驻村工作队,锻炼了机关干部,培养了农村人才。全国累计选派43.5万名干部担任第一书记,派出277.8万名干部驻村帮扶。目前,在岗第一书记19.5万名、驻村干部77.5万名。这些同志肩负重任,同当地基层干部并肩战斗,带领贫困群众脱贫致富,用自己的辛苦换来贫困群众的幸福,有的甚至献出了宝贵生命,诠释了扶贫干部的担当和情怀。

第三,构筑了全社会扶贫强大合力。我们坚持政府投入的主体和主导作用,深入推进东西部扶贫协作、党政机关定点扶贫、军队和武警部队扶贫、社会力量参与扶贫。中央财政专项扶贫资金年均增长22.7%,省级财政专项扶贫资金年均增长26.9%。贫困县统筹整合财政涉农资金用于脱贫攻坚，累计整合5296亿元。金融部门安排易地扶贫搬迁专项贷款3500亿元，扶贫小额信贷累计发放4300多亿元，扶贫再贷款累计发放1600多亿元。贫困地区建设用地增减挂钩节余指标流转，累计收益460多亿元。东西部扶贫协作，342个东部经济较发达县结对帮扶570个西部贫困县，促进了西部地区脱贫攻坚和区域协调发展。定点扶贫畅通了党政机关特别是中央和国家机关了解农村和贫困地区的渠道，推进了作风转变和干部培养。社会各界广泛参与扶贫，中央企业开展贫困革命老区"百县万村"帮扶行动，民营企业开展"万企帮万村"精准扶贫行动。到2017年底全国已有4.62万家民营企业帮扶5.12万个村，投资527亿元实施产业扶贫项目，捐资109亿元开展公益帮扶，带动和惠及620多万建档立卡贫困人口。在四川凉山，中国光彩会组织500多名知名民营企业家参加精准扶贫行动，促成合作项目149个，合同金额2037亿元，向凉山州捐赠公益资金4000多万元。这些活动既有力推动了贫困村和贫困群众脱贫致富，又弘扬了中华民族扶贫济困的优良传统。

前不久，中铁隧道局集团参加成昆铁路扩能改造工程建设的20名青年党员给我来信。信中说，50多年前，他们很多人的父亲或爷爷参加了成昆铁路难度最大的沙木拉打隧道建设，那一辈铁路建设者不畏艰险、不怕牺牲，以敢叫高山低头、河水让路的豪迈气概，把天堑变成了通途，创造了世界铁路建设史上的奇迹。今天，他们接过先辈的旗帜，承担了新成昆铁路全线最长、难度最高的小相岭隧道建设重任，决心传承好老成昆精神，不忘初心、砥砺前行，使铁路早日成为沿线人民脱贫致富的“加速器”。他们的来信，让我感受到了青年一代对祖国和人民的担当和忠诚，读了很是欣慰。

第四，建立了中国特色脱贫攻坚制度体系。

我们加强党对脱贫攻坚工作的全面领导，建立各负其责、各司其职的责任体系，精准识别、精准脱贫的工作体系，上下联动、统一协调的政策体系，保障资金、强化人力的投入体系，因地制宜、因村因户因人施策的帮扶体系，广泛参与、合力攻坚的社会动员体系，多渠道全方位的监督体系和最严格的考核评估体系，为脱贫攻坚提供了有力制度保障。这个制度体系中，根本的是中央统筹、省负总责、市县抓落实的管理体制，从中央到地方逐级签订责任书，明确目标，增强责任，强化落实。这些制度成果，为全球减贫事业贡献了中国智慧和中国方案。

在脱贫攻坚的伟大实践中，我们积累了许多宝贵经验，主要包括以下几个方面。

一是坚持党的领导，强化组织保证。脱贫攻坚，加强领导是根本。必须坚持发挥各级党委总揽全局、协调各方的作用，落实脱贫攻坚一把手负责制，省市县乡村五级书记一起抓，为脱贫攻坚提供坚强政治保证。

二是坚持精准方略，提高脱贫实效。脱贫攻坚，精准是要义。必须坚持精准扶贫、精准脱贫，坚持扶持对象精准、项目安排精准、资金使用精准、措施到户精准、因村派人（第一书记）精准、脱贫成效精准等“六个精准”，解决好扶持谁、谁来扶、怎么扶、如何退问题，不搞大水漫灌，不搞“手榴弹炸跳蚤”，因村因户因人施策，对症下药、精准滴灌、靶向治疗，扶贫扶到点上扶到根上。

三是坚持加大投入，强化资金支持。脱贫攻坚，资金投入是保障。必须坚持发挥政府投入主体和主导作用，增加金融资金对脱贫攻坚的投放，发挥资本市场支持贫困地区发展作用，吸引社会资金广泛参与脱贫攻坚，形成脱贫攻坚资金多渠道、多样化投入。

四是坚持社会动员，凝聚各方力量。脱贫攻坚，各方参与是合力。必须坚持充分发挥政府和社会两方面力量作用，构建专项扶贫、行业扶贫、社会扶贫互为补充的大扶贫格局，调动各方面积极性，引领市场、社会协同发力，形成全社会广泛参与脱贫攻坚格局。

五是坚持从严要求，促进真抓实干。脱贫攻坚，从严从实是要领。必须坚持把全面从严治党要求贯穿脱贫攻坚工作全过程和各环节，实施经常性的督查巡查和最严格的考核评估，确保脱贫过程扎实、脱贫结果真实，使脱贫攻坚成效经得起实践和历史检验。

六是坚持群众主体，激发内生动力。脱贫攻坚，群众动力是基础。必须坚持依靠人民群众，充分调动贫困群众积极性、主动性、创造性，坚持扶贫和扶志、扶智相结合，正确处理外部帮扶和贫困群众自身努力关系，培育贫困群众依靠自力更生实现脱贫致富意识，培养贫困群众发展生产和务工经商技能，组织、引导、支持贫困群众用自己辛勤劳动实现脱贫致富，用人民群众的内生动力支撑脱贫攻坚。

以上这些经验弥足珍贵,要长期坚持并不断完善和发展。

我们在扶贫脱贫方面取得的成就和经验,赢得国际社会高度评价。2 月 1 日,《人民日报》以“中国减贫之路‘优质高效’——国际人士积极评价中国脱贫攻坚成就”为题,报道了这些评价。我建议大家读一读这篇报道。报道中讲到:联合国粮农组织减贫项目官员安娜·坎波斯表示,中国在减贫领域取得巨大成果,是因为始终把扶贫工作摆在重要位置,并且在扶贫方面有清晰的目标,中国在减贫领域为其他国家树立了榜样。美国著名未来学家约翰·奈斯比特讲到,从全球背景来看,中国减贫努力对寻求摆脱贫困的新兴经济体具有巨大价值。法国著名经济学家米歇尔·阿列塔指出,中国的扶贫成功经验值得推广学习。德国政治学家沃夫拉姆·阿多菲认为,中国政府是将减贫事业作为其使命和责任来对待和解决的,中国的减贫经验为世界提供了借鉴。印度夏马尔大学教授卡玛奇亚表示，中国的脱贫攻坚战，不仅是中国消灭贫穷问题，更是为人类社会作出的巨大贡献，为包括发达国家在内的所有国家作出了榜样，这是中国方案和中国理念对世界的贡献。

## 第二个问题：清醒把握打赢脱贫攻坚战的困难挑战。

脱贫攻坚成效巨大，但面临的困难挑战也同样巨大，需要解决的突出问题依然不少。行百里者半九十。要清醒认识和把握打赢脱贫攻坚战面临任务的艰巨性，清醒认识把握实践中存在的突出问题和解决这些问题的紧迫性，不放松、不停顿、不懈怠，把困难估计得更充分一些，把挑战认识得更到位一些，做好应对和战胜各种困难挑战的准备。

第一，从脱贫攻坚任务看，截至 2017 年底，全国农村贫困人口还有3046万人，贫困发生率仍在3%以上。3年要实现脱贫3000多万人，平均每年1000多万人，压力不小，难度不小。这个压力和挑战主要是深度贫困地区脱贫攻坚任务艰巨。而且脱贫攻坚越往后，遇到的越是难啃的硬骨头。

目前，贫困人口超过200万的有7个省区，贫困发生率超过18%的贫困县有111个、超过20%的贫困村有1.67万个。按照这些县和村前几年每年贫困发生率下降3至4个百分点的速度，在剩余3年时间内完成脱贫目标，任务十分艰巨。特别是“三区三州”地区，不仅贫困发生率高、贫困程度深，而且基础条件薄弱、致贫原因复杂、发展滞后较多、公共服务不足，有的地方可以用“有天无地，有山无田，有人无路”来形容，脱贫难度更大。全国建档立卡贫困村居住着51%的贫困人口，普遍存在村两委班子能力不强，基础设施和公共服务严重滞后，村内道路、入户路、环境卫生设施短缺，大量危房需要维修和重建等难题，贫困村无人管事、无人干事、无钱办事现象突出。

当前建档立卡贫困人口中，因病、因残致贫比例居高不下，分别超过40%和14%，缺劳力、缺技术的比例分别占到32.7%和31.1%，65岁以上老人占比超过16%，这些人群的比例越往后将会越高，是贫中之贫、艰中之艰。化解特殊贫困群体难题是打好脱贫攻坚战面临的最为突出的挑战。

另外，贫困群众短期脱贫容易、长期稳定致富难度大的问题也很突出。产业扶贫是稳定脱贫的根本之策，但现在大部分地区产业扶贫措施比较重视短平快，考虑长期效益、稳定增收不够，很难做到长期有效。如何巩固脱贫成效，实现脱贫效果的可持续性，是打好脱贫攻坚战必须正视和解决好的重要问题。

第二，从脱贫攻坚工作看，形式主义、官僚主义、弄虚作假、急躁和厌战情绪以及消极腐败现象仍然存在，有的还很严重，影响脱贫攻坚有效推进。脱贫攻坚工作直接面向贫困地区和贫困群众，直接同人民群众打交道，暴露出来的作风和腐败问题群众感受最直接、反映最强烈。这些问题，我已经多次敲过警钟了，今天再敲敲“法槌”，希望引起大家高度警觉。

形式主义、官僚主义主要表现是会议多、填表多、检查多。有篇报道说，现在扶贫需要填写各种调查表、花名册、信息采集表、帮扶卡、走访记录等，驻村干部被各种报表弄得晕头转向。有个地方的精准扶贫档案资料包括贫困户入户资料、贫困户档案、村级档案、乡级资料 4 个部分，每 1 户要填写 10 份表格，村级档案有 4 类 21 种，乡级资料有 4 类 25 种，真可谓眼花缭乱！有些地方还规定，扶贫档案必须由第一书记亲笔填写，一式 3 份，均不得出错，不得涂改；如有变化，3 份都得改，改一项数据就得折腾很长时间，耽误了真正的扶贫工作。有人就此给第一书记编了个顺口溜：“书记，书记，没时间扶贫，只剩书书、记记。”检查多也让基层干部不堪重负。一位县委书记反映，曾在一天内接待了国家、省里、部门、市里的4个检查组和调研组，应接不暇。媒体报道，有一个乡迎接各类扶贫检查团，仅打印费就花了10多万元。把这么多精力和资金花在应付检查上，实在不应该！考核评估也存在重形式偏向。一些考核评估只看资料全不全、表格填好没填好、老百姓能不能答上问题，对区域发展、政策落地、群众获得感等情况关注不够。贫困户在家的多是老人和小孩，有些政策虽然宣讲多次，他们还是搞不清记不住，但第三方评估抽访时一次没答对或没答准，就认定干部工作没做到位，这让基层干部很委屈。

管理不精细、资金使用新老问题依然存在。一些部门调查研究不深入，指导工作脱离实际，政策不落实、不到位、不精准。有些地方精准识别等基础工作不够扎实，虽然经过几次识别，依然存在优亲厚友和识别不准等问题。有的在贫困识别时搞指标分配、优亲厚友，一些不符合建档立卡要求的人被划入贫困人口，而一些真正的贫困人口却没有建档立卡。有的地方对“一方水土养活不了一方人”贫困人口的易地扶贫搬迁在认识上存在偏差，不顾实际，为搬而搬，对“搬到哪里去、搬后干什么、搬迁后收入哪里来”没有统筹谋划，缺乏通盘考虑。有的自行扩大搬迁标准，增加了地方政府和群众的债务负担。有的地方垒大户堆盆景，搞“形象工程”。有的简单发钱发物、包办代替甚至强迫命令，有的用增加的扶贫资源搞缩小版大水漫灌。在资金使用管理方面，一些地方虚报冒领、贪占挪用扶贫资金等问题时有发生，主要发生在乡村两级。一些地方扶贫项目规划不科学不合理，资金闲置浪费。一些地方资金使用不公开不透明，群众不知晓、难监督。扶贫领域的“苍蝇式”腐败，虽然可能是单个案件金额不大，但危害不可小视。“蚁穴虽小溃大堤，蝗虫多了吞沃野。”如果任由这些行为滋生蔓延，积少成多，不仅会使脱贫成效大打折扣，而且将严重损害党和政府在群众心目中的形象。

数字脱贫、虚假脱贫问题也时有发生。有的“三保障”未实现，就宣布脱贫。有的把预期收入算成当年实际收入，把还没有变成商品的产品收入巧算为现金收入，拔高收入，搞“算账式”脱贫。有的层层分解年度脱贫指标，年终脱贫销号是“矮人堆里选高个”，一些贫困户戴上贫困帽才一年就被要求摘帽了，搞“指标式”脱贫。有的把项目、资金、技术等集中倾斜到一些贫困户，等脱贫验收达标后，政策和资源又收回转移到另外的贫困户，脱贫的农户因失去扶持资源就又开始走下坡路甚至返贫，但在脱贫账上已销号，就不管了，搞“游走式”脱贫。有的短时间集中投入，贫困人口当年进、当年出，搞“突击式”脱贫。有的简单采取低保兜底，一兜了之。有的甚至在考核评估中弄虚作假，试图蒙混过关。

一些地方出现了打着脱贫攻坚旗号大举借债、以脱贫攻坚为名搞变相融资的问题，什么东西都往脱贫攻坚上靠，穿马甲、涂脂抹粉争资源争项目，扩大地方债务，要坚决防止和纠正。一些部门的政策措施没有聚焦脱贫攻坚、惠及贫困人口，大而化之，大而不当，经不起较真，一说到精准就说不清楚了。一些地方盲目拔高标准，不怕群众不满意，就怕领导不注意，对贫困户作出脱离实际的承诺，像看病不排队不要钱，把“三保障”变成上什么学都免费、看什么病都不花钱、拆旧房盖大房住好房甚至购买商品房等。脱离国情和当地实际，盲目提高标准，不仅增加脱贫攻坚难度、加重财政负担、不可持续，而且产生了贫困户和非贫困户待遇的“悬崖效应”，引起新的社会不公。过高的标准兑现不了，还会损害党和政府的公信力。各级党委和有关部门要正视这些问题，采取管用的措施，抓紧解决好。

**第三个问题：全面打好脱贫攻坚战。**

党的十九大对打好脱贫攻坚战作出总体部

署，中央经济工作会议、中央农村工作会议和全国扶贫开发工作会议作出了具体安排。要按照这些部署和安排，把提高脱贫质量放在首位，聚焦深度贫困地区，扎实推进各项工作，全面打好脱贫攻坚战。

第一，加强组织领导。脱贫攻坚是一场必须打赢打好的硬仗，是我们党向全国人民作出的庄严承诺。一诺千金。党的十八大以来，各省区市党政一把手向中央签军令状的，只有脱贫攻坚这一项工作。各级党政干部特别是一把手，必须增强政治担当和责任担当，以高度的历史使命感亲力亲为抓。这里，我还要强调，贫困县党委和政府对脱贫攻坚负主体责任，党政一把手是第一责任人，攻坚期内干部队伍要保持稳定，把主要精力用在脱贫攻坚上。对于不能胜任的要及时撤换，对于弄虚作假的要坚决问责。中央有关部门要研究制定脱贫攻坚战行动计划，明确 3 年攻坚战的时间表和路线图，为打好脱贫攻坚战提供导向。

第二，坚持目标标准。脱贫攻坚的目标就是要做到“两个确保”：确保现行标准下的农村贫困人口全部脱贫，消除绝对贫困；确保贫困县全部摘帽，解决区域性整体贫困。扶贫标准是确定扶贫对象、制定帮扶措施、考核脱贫成果的重要“度量衡”。党中央反复强调，脱贫攻坚期内，扶贫标准就是稳定实现贫困人口“两不愁三保障”、贫困地区基本公共服务领域主要指标接近全国平均水平。要始终坚持，不能偏离，既不能降低标准、影响质量，也不要调高标准、吊高胃口。

第三，强化体制机制。要落实好中央统筹、省负总责、市县抓落实的管理体制。中央统筹，就是要做好顶层设计，主要是管两头，一头是在政策、资金等方面为地方创造条件，另一头是加强脱贫效果监管。省负总责，就是要做到承上启下，把党中央大政方针转化为实施方案，加强指导和督导，促进工作落地。市县抓落实，就是要因地制宜，从当地实际出发，推动脱贫攻坚各项政策措施落地生根。要改进考核评估机制，根据脱贫攻坚进展情况不断完善，让省负总责既体现在工作要求和责任上，也体现在考核上。要改进第三方评估方式，缩小范围，简化程序，主要评估"两不愁三保障"实现情况。对贫困县退出的专项评估检查，交由省里组织，中央结合督查巡查进行抽查，确保退出真实性。要改进约谈省级领导方式，今年再集中搞一次，以后常态化，随时发现问题随时约谈。

第四，牢牢把握精准。打好脱贫攻坚战，成败在于精准。建档立卡要继续完善，重点是加强数据共享和数据分析，为宏观决策和工作指导提供支撑。精准施策要深入推进，按照因地制宜、因村因户因人施策的要求，扎实做好产业扶贫、易地扶贫搬迁、就业扶贫、危房改造、教育扶贫、健康扶贫、生态扶贫等精准扶贫重点工作。这里特别要强调产业扶贫和易地扶贫搬迁。产业增收是脱贫攻坚的主要途径和长久之策，现在贫困群众吃穿不愁，农业产业要注重长期培育和发展，防止急功近利。易地扶贫搬迁，国家投入的资金最多。目前，要重点防止为整体搬迁而搬迁，把不该搬的一般农户搬了，而应该搬的贫困户却没有搬。今后3年，要先把建档立卡贫困人口中需要搬迁的应搬尽搬，同步搬迁的逐步实施。对目前不具备搬迁安置条件的贫困人口，要先解决他们“两不愁三保障”问题，今后可结合实施乡村振兴战略，压茬推进，通过实施生态搬迁和有助于稳定脱贫、逐步致富的其他搬迁，继续稳步推进。

第五，完善资金管理。扶贫资金量大、面广、点多、线长，监管难度大，社会各方面关注高。要强化监管，做到阳光扶贫、廉洁扶贫。要增加投入，确保扶贫投入同脱贫攻坚目标任务相适应。要加强资金整合，理顺涉农资金管理体系，确保整合资金围绕脱贫攻坚项目精准使用，提高使用效率和效益。要建立县级脱贫攻坚项目库，加强项目论证和储备，防止资金闲置和损失浪费。要健全公告公示制度，省、市、县扶贫资金分配结果一律公开，乡、村两级扶贫项目安排和资金使用情况一律公告公示，接受群众和社会监督。要加大惩治力度，对扶贫领域腐败问题，发现一起，严肃查处问责一起，绝不姑息迁就！

第六，加强作风建设。党中央已经明确，将2018年作为脱贫攻坚作风建设年。要坚持问题导向，集中力量解决脱贫领域“四个意识”不强、责任落实不到位、工作措施不精准、资金管理使用不规范、工作作风不扎实、考核评估不严格等突出问题。要建立长效机制，对脱贫领域的突出问题，一经举报，要追查到底。对查实的典型案件，要坚决予以曝光，严肃追究责任。对发现的作风问题，要举一反三，完善政策措施，加强制度建设，扎紧制度笼子。

第七，组织干部轮训。打好脱贫攻坚战，关键在人，在人的观念、能力、干劲。贫困地区最缺的是人才。近年来，我们向贫困地区选派了大批干部和人才，但从长远看，无论怎么加强外部人才支持，派去的人总是有限的，关键还是要靠本地干部队伍和人才。今年，要突出抓好各级扶贫干部学习培训工作，中央层面要重点对省级负责同志开展轮训，省、市、县都要加大干部培训力度，分级安排培训活动。各级培训方式要有所区别，突出重点。对县级以上领导干部，重点是提高思想认识，引导树立正确政绩观，掌握精准脱贫方法论，培养研究攻坚问题、解决攻坚难题能力。对基层干部，重点是提高实际能力，要多采用案例教学、现场教学等实战培训方式，培育懂扶贫、会帮扶、作风硬的扶贫干部队伍，增强精准扶贫精准脱贫工作能力。要吸引各类人才参与脱贫攻坚和农村发展，鼓励大学生、退伍军人、在外务工经商等本土人才返乡担任村干部和创新创业。要关心爱护基层一线扶贫干部，让有为者有位、吃苦者吃香、流汗流血牺牲者流芳，激励他们为打好脱贫攻坚战努力工作。

第八,注重激发内生动力。贫困群众既是脱贫攻坚的对象,更是脱贫致富的主体。要加强扶贫同扶志、扶智相结合,激发贫困群众积极性和主动性,激励和引导他们靠自己的努力改变命运,使脱贫具有可持续的内生动力。要改进帮扶方式,多采取以工代赈、生产奖补、劳务补助等方式,组织动员贫困群众参与帮扶项目实施,提倡多劳多得,不要包办代替和简单发钱发物。要加强教育引导,通过常态化宣讲和物质奖励、精神鼓励等形式,促进群众比学赶超,提振精气神。要发挥村规民约作用,推广扶贫理事会、道德评议会、红白理事会等做法,通过多种渠道,教育和引导贫困群众改变陈规陋习、树立文明新风。这也有利于减轻群众负担。要加强典型示范引领,总结推广脱贫典型,用身边人、身边事示范带动,营造勤劳致富、光荣脱贫氛围。

同志们! 3 年后如期打赢脱贫攻坚战,中华民族千百年来存在的绝对贫困问题,将在我们这一代人的手里历史性地得到解决。这是我们人生之大幸。让我们共同努力，一起来完成这项对中华民族、对整个人类都具有重大意义的伟业。我相信，只要全党全国各族人民齐心协力、顽强奋斗，脱贫攻坚战一定能够打好打赢。

**图书在版编目(CIP)数据**

在打好精准脱贫攻坚战座谈会上的讲话/习近平 著.—北京:人民出版社,2020.5

ISBN 978-7-01-022084-0

Ⅰ.①在… Ⅱ.①习… Ⅲ.①习近平-讲话②扶贫-中国-学习参考资料 Ⅳ.①D2-0②F126

中国版本图书馆 CIP 数据核字(2020)第 068666 号

(RMC-ZJDXI-088-20180212)

**在打好精准脱贫攻坚战座谈会上的讲话**

ZAI DAHAO JINGZHUN TUOPIN GONGJIANZHAN ZUOTANHUI SHANG DE JIANGHUA

(2018 年 2 月 12 日)

**习　近　平**

人民出版社 出版发行

(100706　北京市东城区隆福寺街 99 号)

北京新华印刷有限公司印刷　新华书店经销

2020 年 5 月第 1 版　2020 年 5 月北京第 1 次印刷

开本:880 毫米×1230 毫米 1/32　印张:1

字数:12 千字

ISBN 978-7-01-022084-0　定价:3.00 元

邮购地址 100706　北京市东城区隆福寺街 99 号

人民东方图书销售中心　电话 (010)65250042　65289539